723

1873

Pest, 1687?

BUDAPEST

BUDAPEST

Prefazione di Balázs Dercsényi

MERHÁVIA • HUNGARIAN PICTURES

Selezione, composizione e progettazione delle foto a cura di *Judit Löblin*
Traduzione a cura di *István Víg*

Pubblicato dalla Magyar Képek S. p.A. Budapest in collaborazione con
Merhávia S. p.A., Budapest
Composizione: Genimpex S. p.A., Budapest
Procedimento colori: Color Point S. p.A., Budapest
Stampa e rilegatura: Kossuth Nyomda, Budapest, 1994.

Foto: archivio di fotografie della Magyar Képek S. p.A.

Lóránt Bérczi: 138
Csaba Gábler: 2, 7, 39, 71, 77, 78, 79, 80, 82, 99, 147, 149, 174, 192, 205, 206, 209, 219
Csaba Gedai: 148, 210, 212, 213, 214, 222
Tibor Hortobágyi: Sovraccoperta, Copertina1, 4, 5, 6, 9, 11, 23, 25, 28, 29, 30, 31, 33,
34, 38, 40, 44, 46, 56, 57, 58, 59, 63, 65, 66, 76, 100, 109, 110, 112, 113, 116, 118,
127, 129, 144, 145, 150, 155, 156, 158, 164, 165, 166, 167, 168, 169, 178, 180, 184,
185, 191, 196, 197, 198, 202, 211, 215
Tibor Inkey: 45, 139, 173
Lajos Köteles: 87, 88
Attila Mudrák: 119
Endre Pál: 24, 27, 36, 37, 41, 42, 43, 89, 90, 91
Csaba Raffael: 26, 55, 68, 134
Herbert Saphier: 3, 61, 65, 86, 97, 133, 163, 218
Miklós Sehr: 35, 60, 67, 140, 161, 186, 195, 200, 201, 208
Károly Szelényi: 20, 21, 22, 32, 47, 48, 49, 50, 51, 52, 53, 62, 70, 72, 73, 74, 75, 85,
92, 93, 101, 102, 103, 104, 105, 106, 107, 108, 111, 114, 115, 117, 120, 121, 122,
123, 124, 125, 126, 127, 128, 130, 131, 132, 135, 136, 137, 141, 142, 143, 146, 151,
152, 153, 154, 157, 159, 160, 170, 172, 175, 176, 177, 181, 182, 183, 187, 188, 189,
190, 193, 194, 199, 203, 204, 216, 217, 220, 221, 223, 224, 225
László Török: 14
Ferenc Tulok: 8, 10, 12, 13, 15, 16, 17, 18, 19, 54, 69, 81, 83, 84, 94, 95, 96, 98, 162,
171, 179, 207

ISBN 963 7587 26 8

Vorrei intrattenere solo un poco coloro che hanno comprato questo bel libro. Pur essendo convinto che queste quasi duecentocinquanta foto a colori offrano una visione vera di Budapest, ritengo che si debbano dire alcune parole sui momenti storici che, emergendo a volte in maniera diretta, a volte in modo spettacolare, lasciano un'impronta nell'aspetto odierno di questa città di duemila anni.

Il momento più antico è quello dell'epoca romana in cui i legionari dell'imperatore Augusto occuparono i territori a ovest e a sud del Danubio tra il 13 ed il 9 a.C., organizzando in seguito la provincia Pannonia. Sulla riva destra e sinistra del fiume vennero stabiliti e fortificati i limes a difesa dell'Impero contro gli attacchi dei barbari. Uno dei centri della provincia divenne Aquincum con il suo quartiere militare e quello civile. I resti del centro che ebbe la sua piena fioritura nel secolo II, che si vedono in grande abbondanza tutt'oggi nella parte settentrionale di Buda, Óbuda, ebbero una funzione molto importante nel periodo della costituzione dello Stato ungherese.

Così si passa ormai al momento successivo della vita della città, quello dell'Alto Medioevo: i principi ungheresi si stabilirono nell'anfiteatro militare del centro romano di una volta, a partire dalla fine del secolo IX, trovando riparo sicuro tra i muri alti di esso. Anche i primi nuclei della città di Pest si formarono nelle vicinanze della fortificazione Contra Aquincum che difendeva il posto di traghetto più importante, il guado all'altezza di Tabán. La futura importanza di Óbuda venne accresciuta dal fatto che tra i ruderi romani sorsero insediamenti di mercanti e di artigiani, e dalla costruzione di una dimora reale, di monasteri e di chiese nelle loro vicinanze. Lo stesso avvenne anche a Pest, mentre sulla collina del futuro Castello regnava il silenzio. Alla prima fioritura di Óbuda e di Pest posero fine le scorrerie dei tartari (1241) e le devastazioni concomitanti. Il secondo grande periodo venne segnato dalla ricostruzione, nel corso della quale vennero erette case di abitazione, chiese e monasteri sulla collina del Castello, protetti dalle mura. In seguito alla ricostruzione di Óbuda e di Pest, le tre città sorte nuovamente, crearono tutti i presupposti che dopo poco più di cento anni fecero sì che all'estremità meridionale della collina sorgesse un centro regio. Per quasi duecento anni vennero costruiti in quella zona palazzi splendidi, altrettanti testimoni a livello europeo dell'arte gotica e rinascimentale.

All'inizio dell'età moderna Buda e Pest erano sotto i turchi per quasi centocinquanta anni, dal 1541 al 1686. La presenza dei turchi ebbe un duplice effetto: il graduale e continuo deteriorarsi dello splendido palazzo reale, delle case di abitazione e dei monasteri da una parte, ed il sorgere di minareti snelli e di bagni con le loro cupole dall'altra, che costituivano un elemento di variazione nel panorama della città.

In seguito alla vittoria ottenuta dagli eserciti cristiani riuniti, sorsero delle città barocche nella prima metà del secolo XVIII, le cui tracce si vedono tutt'oggi. Vennero costruite case di abitazione della borghesia, palazzi dell'aristocrazia, edifici pubblici, chiese parrocchiali e quelle dei monasteri, e vennero decorate le piazze di statue. I vantaggi di uno sviluppo più ampio toccarono a Pest, accanto ad una Buda divenuta una cittadina tranquilla ed una Óbuda ridotta ad un centro agricolo.

Nella prima metà del secolo XIX si nota uno sviluppo accelerato a Pest: sorsero edifici pubblici, palazzi, case di abitazione e chiese in stile neoclassico, grazie ad un'urbanizzazione programmata. La città non solo si ingrandì, espandendosi oltre le mura medievali, ma si stabilì la comunicazione continua da tanto tempo attesa tra le due città, con la costruzione di Ponte delle Catene, dovuto all'attività generosa del sommo ungherese, István Széchenyi. A metà del secolo scorso Pest divenne il centro indiscutibile dell'Ungheria.

Sorta in seguito all'unificazione dei tre centri deliberata nel 1872, Budapest divenne negli ultimi decenni del secolo scorso non solo una capitale ma anche una metropoli nel senso della parola di quei tempi. Fu non solo il centro dell'amministrazione di un 'Ungheria molto più estesa rispetto a quella di oggi, bensì il centro dell'industria, dei commerci e dei trasporti, dell'educazione, intellettuale, artistico, e non per ultimo, anche architettonico: una prova eloquente ne sono i corsi, i viali, gli edifici pubblici, le chiese, i palazzi dell'aristocrazia, le case di abitazione, le banche, le scuole, le università, ecc. La fiorente metropoli, concepita in stile eclettico prima e liberty dopo, esercitò il proprio influsso in quasi tutti i punti del Bacino dei Carpazi fino alla prima guerra mondiale.

Già in quel periodo, ma oggi più che mai si notano e si apprezzano le tracce dei momenti storici: la città è eclettica non solo in senso architettonico, bensì anche nel senso che si trovano in armonia, uno accanto all'altro, i valori dell'Antichità, del Medioevo e dell'età moderna, i ricordi della provincia Pannonia in ambienti moderni, case barocche con elementi medievali, chiese barocche fra palazzi in stile eclettico e liberty, palazzi neoclassici vicino agli hotel moderni. E tutto questo viene proposto da questo bel libro.

◁ **1** Lo stemma d'Ungheria con la corona su Ponte Szabadság, costruito tra il 1894 ed il 1896

◁ **2** Particolare del Lungodanubio di Budapest, incluso nell'elenco del patrimonio - culturale mondiale dell'Unesco, con il Bastione dei Pescatori, Viziváros ed il Parlamento

3 Il Palazzo Reale con il Ponte delle Catene in stile neoclassico, inaugurato nel 1849

4 Il cosiddetto „grande stemma" d'Ungheria sul mosaico fatto nel 1880, vicino all'entrata orientale del Tunnel

5 Il cippo chilometrico, punto di partenza per la misurazione delle distanze e la funicolare in funzione dal 1860

6 La facciata in stile neoclassico del Tunnel inaugurato nel 1855, che attraversa la collina del Castello, con la funicolare

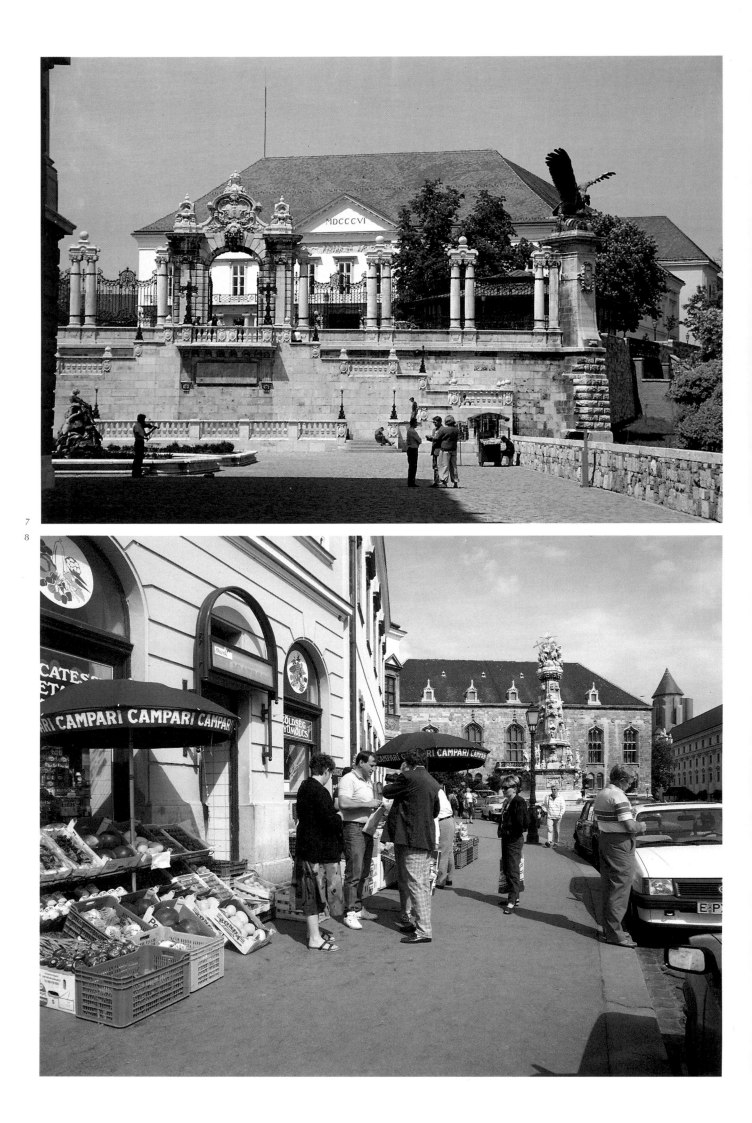

7

8

7 L'ex sede del primo ministro con il cancello di parata settentrionale dell'area del Palazzo Reale

8 Momento di vita estiva in via Tárnok, nell'area del Castello

9 Il cancello e la porta di parata settentrionale del Palazzo Reale

10 Via Tárnok e piazza Szentháromság (S. Trinità)

11

12

13

11 Il monumento della S. Trinità eretto all'inizio del sec. XVIII e la torre neogotica della Chiesa di Mattia

12 Particolare della facciata meridionale della Chiesa di Mattia

13 Le tegole di maiolica del tetto della maggiore chiesa di Buda

14 Da piazza Szentháromság parte il mezzo del giro della città più comodo, la carrozzella

15 La porta principale della Chiesa di Mattia

16 Il monumento della S. Trinità e la facciata meridionale della Chiesa di Mattia

15

14

16 ▷

17
▷ 18

▽ 20

21 ▽

17–21 Particolari del Bastione dei Pescatori costruito nel 1895–1902 sulle mura settecentesche, con la statua del nostro primo re santo, Stefano

22

23

24

25

26

22 Il campanile della chiesa medievale dei dominicani con un bassorilievo raffigurante re Mattia

23 L'Hotel Hilton dai molteplici aspetti: il campanile medievale si trova in mezzo ad ali moderne; in primo piano la statua di Innocenzo XI

24 Nuovo e antico: i muri del santuario della chiesa dei dominicani del sec. XIII e l'ala moderna dell'Hotel Hilton inseriti bene nel panorama della città, con le statue dei monaci Gerardo e Julianus che andarono alla ricerca dei magiari nella patria originaria

25 Case della borghesia del sec. XVIII e Palazzo Erdődy in via Táncsics

26 Chiesa di Mattia vista dalla passeggiata Tóth Árpád

27 Il Municipio di Buda costruito nel sec. XVIII

28 Casa borghese costruita alla fine del sec. XVIII, in via Szentháromság con la famosissima pasticceria Ruswurm

29 Volte gotiche nel cortile di una casa (via Országház, 2)

30 La facciata di Palazzo Erdődy verso il cortile (via Táncsics, 7) nello stile del barocco maturo

28

△ 27

29

30

31 Leoni che sorreggono uno scudo su una casa del sec. XIII in via Úri, 13

32 La statua del capitano degli ussari, András Hadik, in via Úri, davanti al Municipio di Buda

33 Nicchie gotiche nell'androne della casa al n. 32 in via Úri

34 Casa borghese decorata di un dipinto murale, e stupende inferriate in via Táncsics, 16

31

33

32 △

34

35

36

37

38

39

35 La caserma Nádor, costruita in stile neoclassico nel 1847, oggi ospita il Museo di storia militare

36 Particolare della passeggiata Tóth Árpád

37 L'imboccatura nella passeggiata Tóth Árpád, produzione della famosissima fabbrica Zsolnay, dono della città di Pécs e della contea Baranya in occasione del centenario della nascita di Budapest nel 1973

38 Il campanile e la finestra ricostruita della Chiesa di Maddalena costruita nel medioevo e distrutta durante la seconda guerra mondiale

39 I resti della Chiesa di Maddalena costruita nei secoli XIII-XV in piazza Kapisztrán

40 Monaca protesa in atto di pregare sull'angolo di una casa del tardo barocco, in via Petermann, 4

41

41 Case borghesi costruite a cavallo dei secoli XVIII-XIX e l'edificio neoro-manico dell'Archivio di Stato

42 Via Kard con la Chiesa luterana

43 Casa d'angolo del tardo barocco, con elementi medievali incorporati, costruita attorno al 1800 (piazza Bécsi kapu, 8)

44 Case borghesi barocche con elementi medievali incorporati (via Ország-ház, 20–22)

42
43
44

45
46
▷ 47

45 Statua equestre del principe Eugenio di Savoia, comandante in capo delle truppe cristiane unite, che rioccuparono la fortezza nel 1686, davanti alla facciata del Palazzo Reale sul Danubio

46 Corte medievale e l'edificio del Museo Storico di Budapest

47 Centro culturale attualmente, il Palazzo Reale ospita vari musei e la Biblioteca Nazionale Széchenyi: sulla foto l'edificio della Galleria Nazionale Ungherese

48

▽ 49

48 Frammento di una statua dei primi decenni del sec. XV, raffigurante un cavaliere elegante, esposto nel Museo Storico di Budapest

49 Una sala della collezione dell'800 nella Galleria Nazionale Ungherese

50 „Allodola" di Pál Szinyei Merse, 1883

51 „L'altalena" di Pál Szinyei Merse, 1869

52 „Cökxpön" di Lajos Gulácsy

53 „Donna con la gabbia" di József Rippl-Rónai, 1892

50

51

52

53

54 La parte centrale del Bazar del Giardino del Castello, costruito nel 1872 e l'ala sudorientale del Palazzo Reale

55 Vista del Bazar del Giardino del Castello e degli edifici ottocenteschi e moderni del Lungodanubio a Pest

56 Il Bazar del Giardino del Castello in stile neorinascimentale

57 Il fabbricato costruito nel 1874–79 su progetto di Miklós Ybl, originariamente adibito a rifornire d'acqua il Palazzo Reale, trasformato in seguito nel ristorante „Chiosoco", oggi ospita un casinò

58 La porta principale ornata del Chiosco neorinascimentale

54
▽ 55

△ 56
57

58

59 Il gran bastione a difesa del palazzo reale medievale e la porta fortificata

60 Il Palazzo Reale visto da Sud con la torre „mazza", il gran bastione e la porta fortificata

61 Panorama visto dalla statua di S. Gerardo: a sinistra il Palazzo Reale, e più in là il quartiere chiamato „Tabán" e a destra Ponte Elisabetta. In fondo la parte centrale della riva del Danubio a Pest.

62 L'edificio del tardo barocco in via Apród 1–3, sotto l'area del Castello, in cui nacque il medico Ignác Semmelweis, oggi è il Museo della storia della medicina. L'arredo in stile empire del 1813 nella Farmacia „S. Spirito" fondata da Károly Gömöri

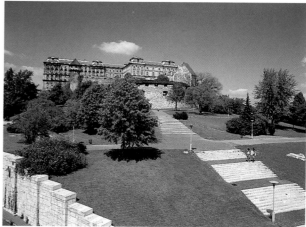

59
▽ 61

60

63

64

68 Ponte della Libertà inaugurato nel 1896

69 L'Hotel Gellért in stile liberty, costruito nel 1911–1918,
con bagni termali annessi

70–72 Particolare dell'interno dei bagni

70

71

72

73 ◁
74
75

73 Un monumento integro della civiltà balneare turca, i Bagni Király, costruiti attrono al 1570, su ordine del pascià di Buda, Sokollu Mustafa

74 La grande vasca nei Bagni Király, che rivela le tipiche caratteristiche dell'architettura turca

75 Panorama che si offre dalla Collina delle rose, con in primo piano il monumento sepolcrale di Gül Baba (padre delle rose), costruita nel 1543–1548

76

76 La piazza principale a Óbuda

77 Creata nella parte nordorientale dell'Impero Romano, la provincia Pannonia aveva compiti di difesa. I resti di uno dei centri cella provincia, Aquincum, si vedono a Óbuda. Sulla foto i ruderi del quartiere militare.

78 Nei dintorni di Aquincum vennero costruite delle ville. In una di esse, i mosaici risalenti all'inizio del sec. III raffigurano una scena del mito di Ercole

77

78

80

79

79 I ruderi dell'anfiteatro del quartiere civile sorto nella prima metà del sec. II

80 Un tratto ricostruito dell'acquedotto che portava l'acqua delle fonti tra le colline ad Aquincum

81–84 I ruderi di una parte del quartiere civile ed il museo; il foro (foto n. **82**) ed il mercato di carne (foto n. **84**)

81

82

83

84

85-93 Ad alcuni chilometri dalla capitale, nella cittadina di Szentendre si trovano musei, monumenti della Chiesa serbo-ortodossa e stradine caratteristiche. Le opere esposte della ceramista Margit Kovács in uno dei musei (foto nn. **85** e **92**); la croce eretta dai mercanti serbi nel 1763 nella piazza principale e la Chiesa Blagovestenska del 1752(foto n. **93**). Una sezione del Museo Etnografico all'aperto, costruito nella periferia della città, presenta l'archittetura della regione dell'alto Tibisco (foto n. **86**), tra cui una chiesa calvinista costruita attorno al 1790 e trasferita qui (foto n. **88**), ed il campanile costruito a Nemesborzova nel 1667 e trasportato qui (foto n. **87**)

85

86

87

88

89

90

91

92

93 ▽

94–98 Il centro ricreativo preferito dei buda-pestini, l'isola Margherita con la Piscina Pala-tinus (foto n. **97**) con i giardini e parchi pub-blici pieni di piante rare (foto nn. **95** e **98**), con un albergo di cure, l'Hotel Thermal (foto n. **96**), ed il chiosco della fontana a soneria (foto n. **94**)

94

95

96

97

100

101

99 Il portale di Ponte delle Catene in stile neoclassico, ed il Parlamento neogotico costruito nel 1884–1904. Il palazzo di mole imponente funge da „posto di lavoro" del Presidente della Repubblica Ungherese, del Consiglio dei ministri e dell'Assemblea

100–101 La porta e le scale principali del Parlamento

102

104

102–105 Particolari dell'interno del Parlamento: l'enorme tela di Mihály Munkácsy sull'arrivo dei magiari nel bacino dei Carpazi (1893) nella sala Nándorfehérvár (foto n. **103**), ed altre opere ornamentali sulle pareti e sulle colonne

106

107

106 La sede della Corte di Cassazione di una volta, costruito nel 1893–1896, ora Museo Etnografico, vicino al Parlamento

107 Piatto con decorazione di uccelli del 1843, proveniente da Mezőcsát

108 Cassapanca decorata con uccelli dipinti

109 L'atrio neobarocco del Museo

108

109

110

110 La statua equestre di Ferenc Rákóczi II

111 La lampada perpetua che commemora il primo ministro del primo governo indipendente ungherese, Lajos Batthyány, giustiziato il 6 ottobre 1849

112 La sede di una banca in stile liberty ungherese del 1902, in via Hold

113 Il Ponte delle Catene neoclassico con i palazzi di piazza Roosevelt e i campanili e la cupola della Basilica di S. Stefano

111

112

113 D

114

114 La statua di bronzo dedicata al sommo ungherese, conte István Széchenyi, inaugurata nel 1880

115 La sala d'onore dell'Accademia delle Scienze

116 La sede neorinascimentale dell'- Accademia delle Scienze Ungherese, costruita nel 1862–1865, grazie all'elargizione di István Széchenyi

115

116

117

117 Finestra in stile liberty con l'effigie di Lajos Kossuth nelle scale di Palazzo Gresham

118 L'edificio della Società di Assicurazioni Gresham di Londra, adibito a uffici e ad abitazioni, Palazzo Gresham, costruito in stile liberty su progetti di Zsigmond Quitter nel 1905–1907

118

119

120

▷ 121

122 D

119 La Chiesa parrocchiale S. Stefano, la Basilica di Pest, in stile neorinascimentale, costruita nel 1851–1905 su progetti di József Hild, Miklós Ybl e József Kauser

120 Prodotto su disegno di József Lippert a Vienna nel 1862, il reliquario d'argento del pugno destro di S. Stefano

121 L' ostensorio di Kolos Vaszary

122 L'interno neorinascimentale verso il santuario

123

124

125

126

127

123–127 Particolari nel Centro città: scale neoclassiche (foto n. **123**), bellezze neorinascimentali su muro e su porta (foto nn. **124, 125**), la Fontana Danubius con le statue di Béla Brestyánszky in piazza Erzsébet (foto nn. **126, 127**), costruita su disegno di Ybl Miklós nel 1883

128 Il corriere di Ferenc Rákóczi II nella collezione del Museo delle Poste

129 Centro uffici moderno sull'angolo di piazza Erzsébet, cotsruito recentemente su progetto di József Finta

128

129

130 L'interno della Chiesa luterana in piazza Deák con l'altare di Mihály Polláck del 1811

131 La chiesa neoclassica costruita nel 1708–1856 su progetto di Mihály Polláck e József Hild

130

131

132 L'interno della sinagoga di stile romantico in via Dohány, attribuito a Frigyes Feszl, con l'arca dell'Alleanza

133 La sinagoga costruita nel 1854–1859 su progetto di Ludwig Förster

134 Il Museo Nazionale Ungherese, opera di Mihály Polláck, costruito nel 1837–1848

135 La sala con le insegne dell'incoronazione dei re d'Ungheria

136 La corona reale ungherese: la parte di sotto fu fatta a Bisanzio nel 1074–1077, mentre quella di sopra, posteriore di più di cento anni, fu prodotta forse in Ungheria

137 Prodotto originariamente come paramento sacro del monastero di rito ortodosso di Veszrpémvölgy, il manto dell'incoronazione risale al 1031

138 Stallo gotico solpito nel 1483, proveniente dalla Chiesa di S. Egidio, ora nel Museo Nazionale Ungherese

136

138

137

139 Gruppo di statue a commemorazione di János Arany di fronte al Museo, opera di Alajos Strobl

140 Il monumento ai fondatori degli studi ungheresi sull'Antichità

141 Il parco Károlyi con la Chiesa dell'Università costruita dal 1725 in poi per quasi cinquanta anni, e Palazzo Károlyi del terzo decennio del sec. XIX

143

142 L'arredo barocco del 1775 nella biblioteca dell'Accademia di Studi Teologici Pázmány Péter è opera del frate paolino Antal Rutschmann

143 Portá riccamente ornata di un palazzo di abitazione degli ultimi decenni del secolo scorso nel centro di Pest

144 Chiesa serbo-ortodossa dell'inizio del sec. XVIII in via Szerb, nel centro di Pest

145 Pietre sepolcrali nel muro di cinta della Chiesa serbo-ortodossa

146 Ristorante tipico in via
Kecskeméti

147 L'Hotel Korona in piazza
Kálvin

146

147

148 Il soffitto dell'atrio del Museo d'Arte Applicata

149 Particolare del tetto di maioliche del Museo

150 Il Museo d'Arte Applicata di stile liberty, costruito su progetto di Ödön Lechner e Gyula Pártos nel 1893–1896

148

149

150

151

154

▷ 155

156

154 Il Caffè New York della fine del secolo scorso

155 L'Accademia di Musica con la statua di Franz Liszt, costruita su progetto di Kálmán Giergl e Flóris Korb nei primi anni del nostro secolo

156 L'atrio liberty dell'Accademia di Musica

157 Finestra di Miksa Róth nel Museo Ernst

158 L'affresco „Fonte dell'Arte" di Aladár Körösfői-Kriesch del 1907 nell'atrio dell'Accademia di Musica

157

158

△ 159
160

159 Il Teatro dell'Opera costruito su progetto di Miklós Ybl nel 1875–1884

160 Particolare di un cassettone affrescato

161 L'affresco di Károly Lotz sul soffitto della platea

162–163 Le scale e la platea

161

162

163

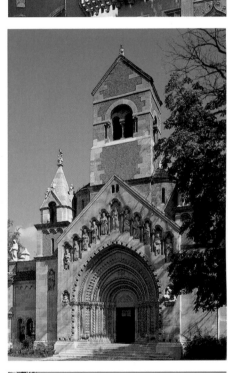

164 Costruito nel 1896–1902 su progetto di Ignác Alpár, il gruppo di insigni monumenti architettonici di varie epoche, chiamato „Castello di Vajdahunyad" che oggi ospita in una parte il Museo di Agricoltura, sull'isoletta Széchenyi nel lago del Parco civico

165 Il ponte sopra il lago del Parco civico ed il Monumento Millenario

166 Facciata gotica del duomo e la torre delle torture nel Castello di Vajdahunyad

167 La facciata del duomo e la „Torre Nebojsa"

168 Copia del portale della Chiesa di Ják

169 Palazzo neobarocco con la „Torre degli Apostoli"

170 Il ristorante Gundel

171 L'edificio barocco dei Bagni Termali Széchenyi, opera di Győző Czigler del 1909–1913

172 Particolare del Giardino zoologico costruito nel secolo scorso

173 La statua dell'autore della prima cronaca ungherese, Anonymus, opera di Miklós Ligeti del 1903

170

171

172

173

174

175

178

176

177

179

174 Il Museo delle Belle Arti del 1900–1906, opera di Albert Schikedanz

175–177 Tesori del Museo delle Belle Arti: *„Ritratto di giovane"* di Raffaello (foto n **175**); *„Testa di uomo"* di El Greco (foto n. **176**); *„Arrotino"* di Goya (foto n. **177**)

178 Il Monumento Millenario di György Zala

179 Il Palazzo delle Esposizioni, costruito su progetto di Albert Schikedanz nel 1895

180 „Fontana delle Danaidi" di Ferenc Sidló

181 Atlante in atto di reggere il globo in mezzo alle figure allegoriche della Guerra e della Pace sulla facciata principale dell'ospizio degli invalidi (oggi sede dell'ufficio del sindaco) del sec. XVIII

182 La facciata dell'ospizio degli invalidi del primo barocco, e la Chiesa dei Servi di Maria

▽ 181

183

183 Mosaici sulla facciata della Banca Turca, costruita nel 1906

184 △

184 Piazza Kristóf

185 La sede dell'amministrazione della contea di Pest, costruita su progetto di Mátyás Zitterbarth il giovane, nel 1838–1841

186 „Fontana delle Nereidi". Copia della fontana neoclassica di Ferenc Uhrl e Frigyes Feszl del 1835, in piazza Ferenciek

187 Il bassorilievo commemorativo di Miklós Wesselényi, organizzatore del salvataggio durante l'alluvione del 1838, sul muro della Chiesa dei Francescani a Pest

188 L'interno di una chiesa francescana costruita nel 1727–1743 sul posto di una moschea turca

189 Piazza Ferenciek e via Kossuth Lajos

190 Particolare di una facciata in via Kígyó

191 La Galleria Párizsi al piano terra della sede di una banca in stile liberty, costruita nel 1909–1913

192 La sede della banca in piazza Ferenciek, opera di Henrik Schmal e Palazzo Klotild

190
191
192

193 Il moderno Ponte Elisabetta nel Centro città

194 Un esempio bello e raro dell'architettura barocca, Palazzo Péterffy del 1755 nel Centro città

195 La statua di Sándor Petőfi sul Lungodanubio

196 La facciata della Chiesa parrocchiale del Centro città con una fontana

197 I resti della fortificazione romana, Contra Aquincum, di quasi duemila anni, con la chiesa parrocchiale della Pest medievale

198 Via Váci vista dalla parte di Ponte Elisabetta

199 Specialità di gelato e figurine di marzapane in via Párizsi

200–201 „Fontana di Ermete" davanti al Magazzino Fontana nella zona pedonale

198
 200

199
201

202 Particolare di una facciata con elementi gotici

203 L'interno liberty di Albert Kőrösy con il dipinto di Lajos Márk nel negozio di fiori „Philanthia" del 1906

204 L'entrata e la vetrina di stile liberty del negozio „Philanthia"

202

203

204

205–210 Piazza Vörösmarty con Palazzo Gerbaud (foto n. **205**). La famosissima pasticceria Gerbaud (foto n. **206**). Il gruppo di statue del monumento a Mihály Vörösmarty (foto n. **207**). Momenti di vita in piazza Vörösmarty (foto nn. **208–210**)

205 ◁
206
207 ▽

208
209 210

211 Architettura moderna nel quartiere vecchio: l'Hotel Corvinus-Kempinsky nel Centro città

212–214 La sede della Budapest Bank, che esprime eleganza, prestigio e rispetto delle tradizioni

211
212

213
214

215 Il Vigadó (sala di spettacoli) in stile romantico ungherese di Frigyes Feszl, costruito nel 1858–1865

216–221 Momenti di vita sul Lungodanubio:gli Hotel Atrium Hyatt e Forum sul Lungodanubio (foto n. **218)**

222 Il Casino Las Vegas nell'Hotel Atrium Hyatt

223 Le statue allegoriche della musica e della danza sulla facciata principale del Vigadó

224 Il Lungodanubio con il Vigadó e la Basilica che sovrasta il Centro città

Buda, 1703

Óbu

Buda